당신이 몰랐던
크립티드 이야기

주똥구리 만화

BOOKK

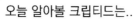
오늘 알아볼 크립티드는..

잠깐!
크립티드가 뭐죠?

크립티드(cryptid)는 존재가능성이 있고, 소문 등으로 알려져있으면서
생물학으로 확인되지 않은 미지의 동물을 말해요!
이러한 동물을 연구하는것이 미확인동물학(cryptozoology)이죠!

목차

J'Ba Fofi

즈 바 포피

이런 전설이 있다.

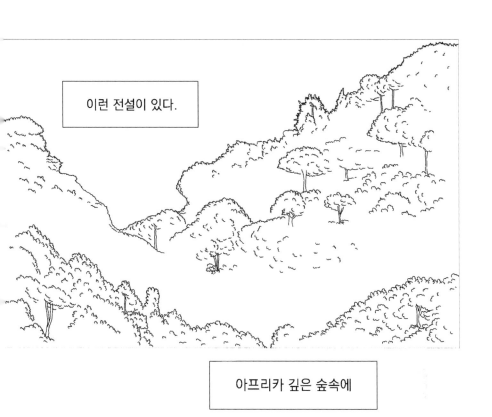

아프리카 깊은 숲속에

거대거미가 살고있다 .

1890년대

선교사 아서 존 스미스는 동료들과 함께 *니아사 호수 기슭을 따라 탐험중이였는데 . .

*현재는 말라위 호라고 불리는 호수다 .

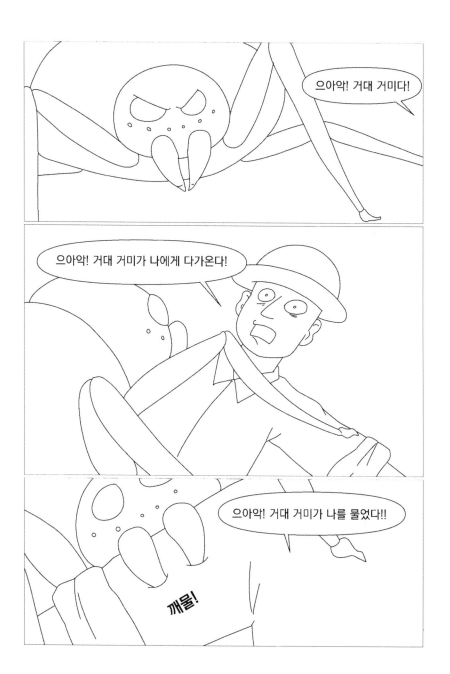

이런 특성을 살펴봤을때 이 거미는
문짝거미(Trapdoor spider)의
아종이 아닐까 추측된다.

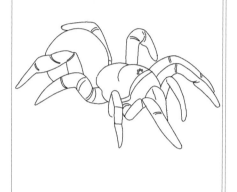

목격담에 따르면 이 거미는
2~5피트의 다리를
가지고 있었다고 하는데

피트.?

1피트는 약 30cm이므로
약 60cm~150cm 라고 볼수있다.

아하!

산소 부족해서 죽어요..

현대 지구

그러나 그 정도의 몸집을
유지하기엔 현대 지구의
산소농도는 너무 낮아서
이 거미의 실존 가능성은
없다고 봐도 무방하다.

즈 바 포피(J'ba Fofi)는 아프리카 정글에 서식한다고
전해지는 거대한 거미 크립티드입니다.
즈 바 포피는 다리 길이만 해도 60cm에서 150cm 사이라는
매우 거대한 크기를 자랑하며 강력한 독을 가지고 있어
물리면 엄청난 고열과 환청이 들리고, 물린 부위가 부풀어 오르다가
결국 죽게 된다고 합니다. 현지 원주민들은 과거에는 즈 바 포피의 수가
많았지만, 최근에는 점점 줄어들어 거의 보이지 않는다고 하는데
이건 과도한 밀림의 재개발로 서식지가 파괴되어
그런 것으로 보입니다. 이 크립티드의 습성은 마치 문짝 거미와도 비슷해
아종이 아닐지 하는 생각도 듭니다.

물론 이 크립티드는 존재하지 않습니다. 이 크립티드가 존재했다는 물질적인
증거는 존재하지 않으며 그저 목격담만 전해져 내려올 뿐입니다.
과학적으로도 이 정도 크기의 생명체가 생존하기엔 현대 지구의
산소 농도는 너무 적다고 합니다. 아마도 아프리카를 탐험하던 탐험가들이
원주민들의 전설을 들은 것이 와전되거나 무언가를 잘못 보고
착각 한 것이 아닐지 조심스럽게 추측해봅니다.

Hidebehind

하이드비하인드

하이드 비하인드는 미국 나무꾼들 사이에서 전해져 내려오는 크립티드입니다.
사람을 잡아 먹는 식인 크립티드라고 하는데
실제로 이 크립티드를 본 사람은 없다고 합니다.
그 이유는 하이드 비하인드는 숨는 실력이 매우 탁월하고 매우 빠른 속도로
숨는다고 하여 아무리 애를 써도 그 모습을 볼 수 없다고 합니다.
그래서 하이드 비하인드의 모습은 아무도 모른다고 합니다.
일을 오래 한 베테랑 나무꾼들은 그것이 곰과 같이 털이 수북하고
날카로운 발톱을 가지고 있다고 증언하기는 합니다.
볼 수도 없고 해칠 수도 없으니, 속수무책으로 잡아먹힐 수밖에
없는 건가싶지만, 예방법이 딱 한 가지가 있습니다.
바로 술입니다. 하이드 비하인드는 알코올을 매우 싫어한다고 하여
맥주 한 모금만 마셔도 하이드 비하인드는 바로 먹이를 포기한다고 합니다.

매우 빠르게 숨어서 모습을 볼 수 없다거나 존재하는 흔적조차
찾을 수 없는 걸 보면 실존하는 크립티드는 아닙니다.
나무꾼 중 곰에게 습격을 받고 돌아오지 않은 일들이 있었는데
그때마다 하이드 비하인드 때문이라고 했다 합니다.
또한 굳이 알코올을 싫어한다는 특징을 보면 그냥 나무꾼들이
술을 마실 핑계로 만들어 낸 크립티드일수도 있습니다.

Fresno Nightcrawler

프레스노 나이트크롤러

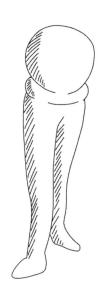

프레스노 나이트크롤러는 미국 캘리포니아 프레스노 지역과
요세미티 국립공원에서 출몰한다고 하는 크립티드입니다.
목격담이 비교적 최근에 생겼기 때문에 다른 크립티드들에
비해 알려진 바가 매우 적습니다.
그들이 그저 한밤중에 발을 허우적거리며 걸어 다닌다는 것 외에는
특별히 알려진 이야기가 없지만 토착 원주민들이 이 크립티드들이
땅의 수호신이라고 하며 목석을 세워놓은 흔적이 있습니다.

몇몇 cctv 영상으로 포착된 증거들 대부분은 조작이라고
밝혀지기도 했으며 사슴 같은 동물이 서 있는 걸 잘못 본 것일수도 있습니다.
또한 음모론자들이 조사해 본 결과 원주민들의 전설 속에
플레스노 나이트크롤러와 연관된 이야기는 찾을 수 없었다고 합니다.
원주민들이 세웠다고 알려진 목석들도 정말로 원주민들이
세운 것인지 알려진 바가 없습니다.
과연 프레스노 나이트크롤러의 정체는 무엇일까요?
여담으로 이 크립티드는 귀여운 외형 때문인지 캐릭터 상품으로
잘 나간다고 합니다.

흐느적

Beast of Gévaudan

제보당의 괴수

그것은 거대한 늑대처럼 보이는 짐승이였다.

어-흥!

다행히도 소들이 소녀를 둘러싸며 지켜주었고

짐승은 잠시후 도망갔다.

분하지만 작전상 후퇴다!

크윽 철통같은 수비다..

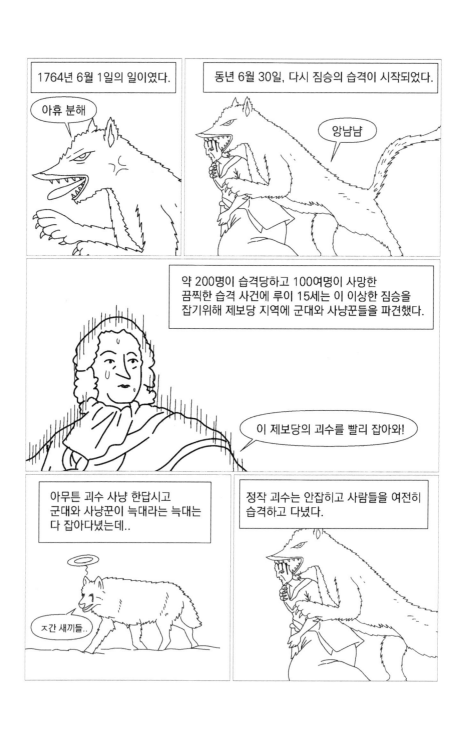

물론 괴수가 항상 사냥에 성공했던건 아니다.

집에 있는 창을 찔러 괴수에게
상처를 입히고 살아남은 여성도 있고

숲 속에서 괴수를
마주친 아이들이

기지를 발휘해 서로의 손을 맞잡아
위기를 극복한 일도 있었다.

그러던 1765년 사람들이 기쁜 소식이 들려온다.

괴수가 잡혔다!

왕실에서 파견한 프랑수아 앙투안이
거대한 늑대를 잡은 것이다.

곧 괴수의 박제가 왕실로 보내졌고
이로서 제보당의 괴수 사건은
일단락 되는듯하였으나..

박제

그런데 이게 무슨일인가?
같은 해 12월부터 또 괴수가
나타나 사람들을 해친다고 한다!

나 또
왔어.

왕실에서는 이미 끝난 일이라며
더 이상 지원을 보내주지않고..

이미 끝난 일이니 알아서
하라고 해.

제보당 귀족들은 알아서 괴수를
사냥해야만 했다.

우리 이제 어쩌면 좋지.

뭐 별수 있겠는가. 결국 귀족들의 자체적인 사냥과 추적 끝에 쟝 샤스텔이라는 사냥꾼이
1767년 마침내 괴수로 추정되는 개체를 사냥하며 이 악몽같은 이야기는 끝이 났다.

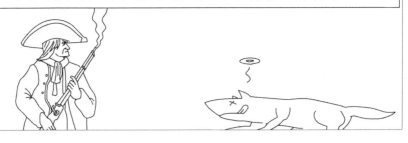

제보당의 괴수는 1764년부터 1767년까지 프랑스에서
출몰했던 크립티드입니다.
프랑스 제보당 지역에 출몰해서 제보당의 괴수라고 불립니다.
당시 사상자나 희생자가 매우 많이 나왔기 때문에 루이 15세가
군대까지 파견해 대대적인 사냥 작전을 벌이기도 했습니다.
괴수를 사냥하기 위해 수많은 늑대가 사냥당했으나 괴수는 좀처럼 잡히지
않았고 시민들의 피해는 점점 심해져 갔습니다.
결국 루이 15세가 새로 파견한 프랑수아 앙투안이 괴수를 잡아내어
괴수 소동은 끝난 줄 알았으나 또다시 괴수의 습격이 다시 일어납니다.
제보당의 귀족들은 왕실에 또다시 도움을 요청했으나 왕실에선
이미 끝난 사건이라 판단하여 무시했고 결국 지역 귀족들이 사냥꾼들을
모집해서 괴수 사냥 작전을 펼칩니다.
마침내 1767년 쟝 샤스텔이 괴수로 추정되는 개체를 사살함으로써
이후 괴수의 습격 이야기는 들리지 않게 됩니다.
이 괴수는 후에 로크 에티엔 마랭이 부검하여 조사했는데
이것은 마랭 보고서라고 불립니다.

이 괴수의 정체에 대해 여러 가지 설이 있습니다.
거대한 늑대라는 설도 있으며 하이에나 혹은
퓨마 같은 다른 맹수라는 설도 있습니다.
현재로서는 마랭 보고서에 나온 정보를 토대로 조사한 결과
늑대라는 설이 가장 유력하다고 합니다.
제보당의 괴물의 진짜 정체는 무엇일까요?

Loch Ness Monster

네스호의 괴물

네스호의 괴물 네시는 가장 유명한 크립티드라고 해도 과언이 아닐 것이다.

네시의 첫 기록은 무려 서기 7세기부터 나타난다.

바로 성자 콜룸바의 성인전에 그 기록이 나타난다.

성자 콜룸바 히엔시스
(Sanctus Columba Hiensis)
(521년~597년)

성자 아돔나누스 히엔시스가 저술한 성자 콜룸바의 삶에서 콜룸바가 괴물을 퇴치한 이야기가 나오는데

성자
콜룸바의
삶

성자 아돔나누스 히엔시스
(Sanctus Adamnanus Hiensis)
(624년~704년)

565년 콜룸바가 동료들과 함께 픽트족의 마을에 머물러 있었는데..

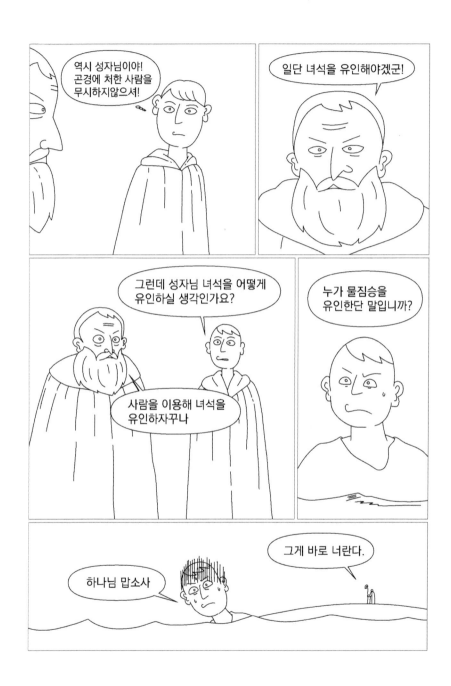

콜룸바의 외침에 물짐승은 물 속으로 도망쳤다.

호엥
성자님 무서워.

퐁당

살았다..

괴물을 믿는 자들은 이 이야기를 근거로
괴물이 6세기 초에 존재하였다고 말한다.

괴물을 네스호가
아니라 네스강에
존재했었던거야!

그러나 회의론자들은
이렇게 반박한다.

물짐승 이야기는 중세 성인전에
흔히 나오는 이야기라구. 그저 흔한
옛날 이야기를 재활용한 것 뿐이야.

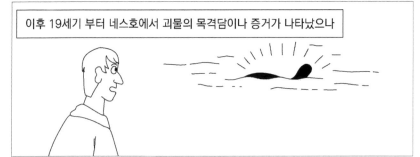

이후 19세기 부터 네스호에서 괴물의 목격담이나 증거가 나타났으나

대부분 물고기나 부유물을 잘못 본 것이거나 조작으로 판명되었다.

수많은 탐색 작업에도 불구하고 네스호에는
괴물의 흔적은 커녕 흔적조차도 찾을 수 없었고

=없다!

네스호의 괴물은 가짜로 판명되었다.

그러나 이 허무맹랑한 괴물 이야기는 매우 유명해졌고

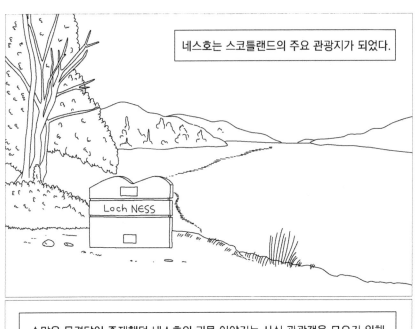

네스호는 스코틀랜드의 주요 관광지가 되었다.

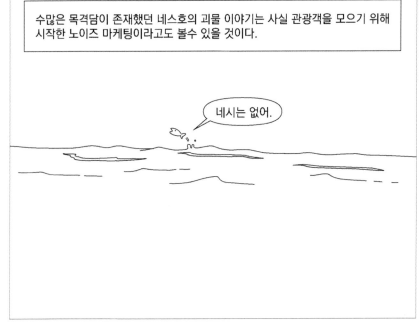

수많은 목격담이 존재했던 네스호의 괴물 이야기는 사실 관광객을 모으기 위해 시작한 노이즈 마케팅이라고도 볼수 있을 것이다.

네시는 없어.

네스호의 괴물은 아마도 가장 유명한 크립티드 중 하나일 것입니다.
이 괴물에 대한 첫 기록은 무려 서기 7세기에 적혀진 성인전에 등장하는데요.
여기서 성인전이란 기독교 성인들이나 교회 지도자들의 전기를 말합니다.
565년, 픽트족의 땅에 머물고 있던 성자 콜룸바 히엔시스가 네스 강가에서
사람들을 습격하는 괴물을 쫓아낸 일화를 성자 아돔나누스 히엔시스가
콜룸바의 성인전에 기록한 것이 바로 첫 번째 기록입니다.
정말로 6세기에는(물론 네스 호수가 아니라 네스 강가지만)
뭐가 정말 있었던 걸까요? 그러나 회의론자들은 콜룸바의 이야기는
당시 중세 성인전에 흔하게 나오던 물짐승 이야기를 재사용한
것일 뿐이라고 주장합니다.
오랜 시간이 지난 뒤 19세기부터 괴물은 또 다시 사람들에게
목격되다가 1933년부터 네스호에서의 괴물 목격담이 급증하기 시작합니다.
1934년에는 로버트 케네스 윌슨이라는 의사가 괴물이라고
주장하는 사진을 발표하는데 이 사진이 인터넷에 네스호의 괴물을 치면
바로 나오는 그 사진입니다. 사진 속 괴물은 마치 오래전 멸종했던
수장룡처럼 보였고 이때부터 대부분의 매체에서 네스호의 괴물을
수장룡처럼 묘사하기 시작했습니다.
그러나 조사 결과 이 사진은 조작으로 밝혀졌습니다. 이후에도 수많은
목격담과 자료들이 나타났으나 대부분 조작이거나 나뭇가지나 부유물, 혹은
물고기를 잘못 본 것이라고 합니다.
괴물이 존재하는지 확인하기 위해 학자들이 여러 번 조사하기는했으나
괴물이 존재한다는 증거는 끝내 찾지 못하였습니다.

많은 학자들의 연구 결과 네스호의 괴물은 존재하지
않는 것으로 판명되었습니다. 그러나 괴물 목격담으로 유명해진 네스호수는
현재 스코틀랜드의 대표 관광지가 되었습니다.
어쩌면 네스호의 괴물 목격담들은 지역경제를 살리기 위한
노이즈 마케팅이 아니었을까 싶네요.

쩌렁   쩌렁

작가의 말

안녕하세요. 작가입니다.

먼저 이 책을 구입해주셔서 감사합니다.

개인적으로 크립티드를 매우 좋아합니다.
참 흥미로운 소재 같아요.
다만 저만 좋아한다는게 문제죠.
크립티드라는 소재는 국내에선 너무
마이너한 소재이다보니 아무도
관련 책같은것도 안 씁니다.

그래서 내가 좋아하는 크립티드
이야기를 만화로 그려보자라는 생각에
이렇게 책으로 만들어 봤습니다.
기회가 된다면 더 많은 크립티드를
소개해 보고 싶네요.

안녕하세요. 당신이 몰랐던 크립티드 이야기의 작가입니다.
먼저 이 책을 구매해 주셔서 감사하다는 말씀을 드리고 싶습니다.
예전부터 UFO나 미확인 존재에 대해 관심이 많아서 한번 그런 것들을
설명하는 만화를 그려보고 싶다고 생각했습니다.
그렇게 조악한 그림으로 가끔씩 만화를 그려서 인터넷에 올렸습니다.
그러다가 우연히 국내에는 이런 크립티드 관련 서적이 없는 걸 알게되었습니다.
나름의 틈새시장을 선점할 기회겠다 싶어 바로 책 작업을 착수했습니다.
막상 작업해 보니 쉽지 않더군요. 원래는 좀 더 많은 크립티드들을 소개해 보고
싶었지만 아쉽게도 5마리의 크립티드밖에 소개해드리지 못했습니다.
첫 페이지에 나오는 모켈레 음뱀베나 모스맨 등 여러 가지를 더 소개해 보고
싶었는데 말이에요. 기회가 된다면 또 다른 크립티드들을 소개하는 2권도
내보고 싶습니다. 그때는 풀컬러에 분량도 많이 그려보도록 해야겠습니다.
아무튼 이 책을 구입해 주셔서 감사합니다. 독자분들의 앞날이 창창하길
바라며 또다시 감사 인사를 올립니다. 그럼 언젠가 또 다른 책으로 봐요.

당신이 몰랐던 크립티드 이야기

발 행 | 2023년 11월 30일
저 자 | 주똥구리
펴낸이 | 한건희
펴낸곳 | 주식회사 부크크
출판사등록 | 2014.07.15.(제2014-16호)
주 소 | 서울특별시 금천구 가산디지털1로 119 SK트윈타워 A동 305호
전 화 | 1670-8316
이메일 | info@bookk.co.kr

ISBN | 979-11-410-5650-6